أَشْرِقي، يا شَمْسُ

تَأْليفٌ وَرُسـومٌ: كارول غُرين

Copyright © 1983 by Regensteiner Publishing Enterprises, Inc,
All rights reserved. Published by Scholastic Inc.,
557 Broadway, New York, NY 10012.

SCHOLASTIC, and associated logos and designs
are trademarks and/or registered trademarks of Scholastic Inc.

ISBN 978-0-439-86437-4

First Arabic Edition, 2006. Printed in China.

1 2 3 4 5 6 7 8 9 10 62 11 10 09 08 07

يا شَمْسُ؟ يا شَمْسُ؟
هَلْ أَنْتِ هُناكَ؟

ها قَدْ وَجَدْتُكِ!

ها أَنا قادِمَةٌ.

مَرْحَبًا، يا شَمْسُ!

أَشْرِقي، يا شَمْسُ!

اِجْعَلي الأَزْهارَ تَنْمو.

اِجْعَلي الطُّيورَ تُغَرِّدُ.

اِجْعَلي الْفَراشاتِ تُرَفْرِفُ.

أَشْرِقي عَلَيَّ، يا شَمْسُ.

اِجْعَليني أُرَفْرِفُ أَيْضًا.

أُرَفْرِفُ تَحْتَ أَشِعَّتِكِ.

أُرَفْرِفُ في فَيْءِ الشَّجَرِ!

آهِ، يا شَمْسُ!
أُرَفْرِفُ مَعَ ظِلّي!

يا شَمْسُ! يا شَمْسُ!

هَلْ أَنْتِ هُناكَ؟

ها قَدْ وَجَدْتُكِ.

مَرْحَبًا، يا شَمْسُ!

أَشْرِقي، يا شَمْسُ!

اِجْعَلِي الْماءَ دافِئًا.

أَشْرِقي، يا شَمْسُ!
أَشْرِقي عَلَيَّ.

آهِ، يا شَمْسُ!

أَخْ!